Comment utiliser l'abécédaire

L'enfant doit
suivre la forme
de la grande lettre
avec son doigt.

L'enfant répète
à haute voix le mot
écrit sous chaque image en
insistant sur
la première lettre.

Montre un fruit,
un animal et un instrument
de musique. Avec quoi
arrose-t-on les fleurs ?

un arbre

un ananas

un avion

une araignée

un arrosoir

un accordéon

un ane

un arc-en-ciel

une assiette

Poser les questions
situées au bas
de chaque page de gauche.

Montrer à l'enfant
les différentes écritures
de chaque lettre.

MON PREMIER abécédaire

Pour Balthus, Elisa et Lilou, nos p'tits bouts.

 # MON PREMIER Abécédaire

Conception et texte :
Nathalie Bélineau

Pâte à modeler :
Christelle Mekdjian

Photos :
René Brassart

ÉDITIONS
FLEURUS

ÉDITIONS FLEURUS, 15-27 rue Moussorgski 75018 PARIS

Montre un fruit, un animal
et un instrument de musique.
Avec quoi arrose-t-on
les fleurs ?

un arbre

un ananas

un avion

une araignée

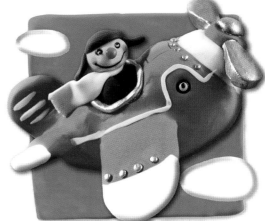

un arrosoir

un accordéon

un âne

un arc-en-ciel

une assiette

Qu'est-ce qui se mange ?
Dans quoi se lave-t-on ?
Avec quoi bébé
boit-il son lait ?

un bateau

des bonbons

une baleine

une banane

un bonhomme
de neige

une brouette

un ballon

une baignoire

une brosse
à dents

Trouve le fruit rouge
et les légumes orange.
Quel animal barbote
dans la mare ?

un cirque

un cerf-volant

un crocodile

une coccinelle

des cerises

un cadeau

une citrouille

un canard

des carottes

Montre l'animal qui
a une bosse sur le dos.
Lequel, du dragon ou
du dinosaure, crache du feu ?

un dindon

des dés

un dromadaire

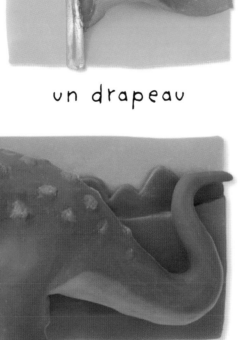

un dinosaure

un drapeau

un dragon

E

e

Qu'est-ce qui scintille,
la nuit, dans le ciel ?
Qui est le plus gros :
l'écureuil ou l'éléphant ?

un écureuil

des étoiles

un épouvantail

une échelle

des éclairs

un éléphant

Montre ce qui sent bon.
Que vois-tu dans la ferme ?
Avec quoi peut-on
aller sur la Lune ?

une fée

un fer à repasser

un fantôme

des fleurs

une fraise

une fusée

une ferme

Quel animal fait coâ-coâ ?
Trouve un instrument
de musique. Quel animal
a un long cou ?

un gâteau

une guitare

une glace

une girafe

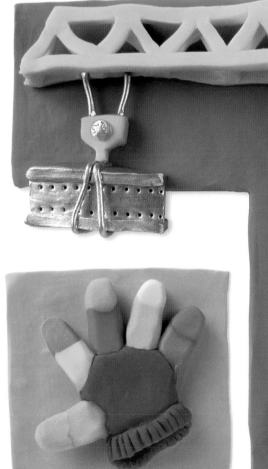

un gant

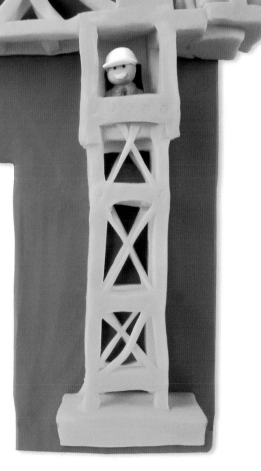

une grue

Quel oiseau chasse la nuit ?
Quel animal est couvert
de piquants ?

un hibou

un hélicoptère

une hache

du houx

un hamster

un hippopotame

des haricots verts

Sais-tu que ce drôle
d'oiseau rouge, qui vit
dans les pays chauds,
s'appelle un ibis ?

un iguane

un igloo

une île

un iris

un iceberg

Que fait le monsieur
debout sur son ballon ?
Pour regarder très loin,
utilise-t-on des jumelles
ou des jumeaux ?

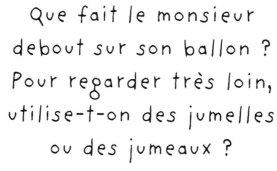

un jongleur

un jardinier

des jumelles

un jaguar dans la jungle

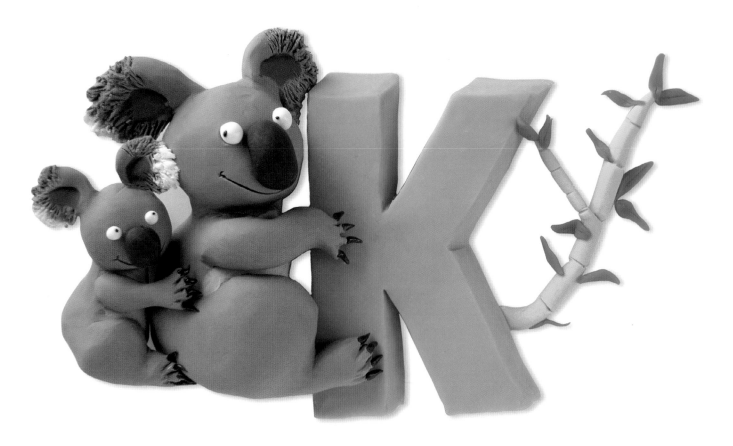

Le kiwi est-il un fruit
ou un légume ?
Quel animal porte
son bébé dans une
poche sur le ventre ?

un kimono

un kayak

un kangourou et son petit

un kiwi

du ketchup

Dans quoi dort-on ?
Quel animal fait hou-hou ?
Lequel rugit ?

des lunettes

une libellule

un livre

un loup

une lampe

la Lune

un lion

un lit

Quel animal
a de la laine sur le dos ?
Compte combien il y a de
doigts sur une main.

une montre   une maison   une main

du maïs

une moto   un manège

Sais-tu que ce drôle
d'animal, avec une longue
corne au bout du nez,
s'appelle un narval ?

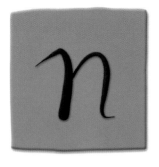

une niche

des nuages

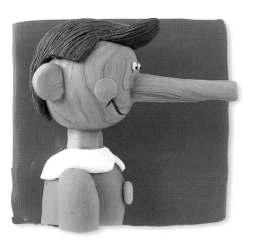

un nez

le chiffre neuf

une noix de coco

un nid

une noix

des noisettes

Dans l'orchestre, montre
le piano et la trompette.
Quel fruit est de
couleur orange ?

une orange

une orque

un ordinateur

des olives

un orchestre

Montre deux animaux qui
volent et un qui nage.
Qu'ouvre-t-on pour
s'abriter de la pluie ?

un papillon

une pomme

un perroquet

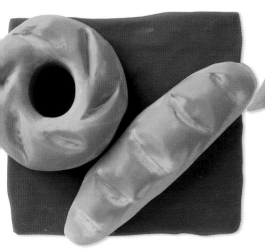

du pain

une poule

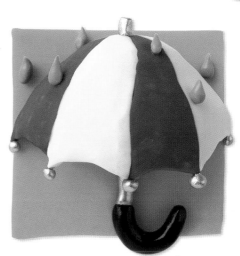

un parapluie

un poisson

un piano

une pastèque

Sais-tu que ce bel oiseau
s'appelle un quetzal ?
Dis de quelles couleurs
sont ses plumes ?

un jeu de quilles

le chiffre quatre

la queue du chien

Qui habite dans un château ?
Le gros poisson aux dents
pointues est-il gentil
ou méchant ?

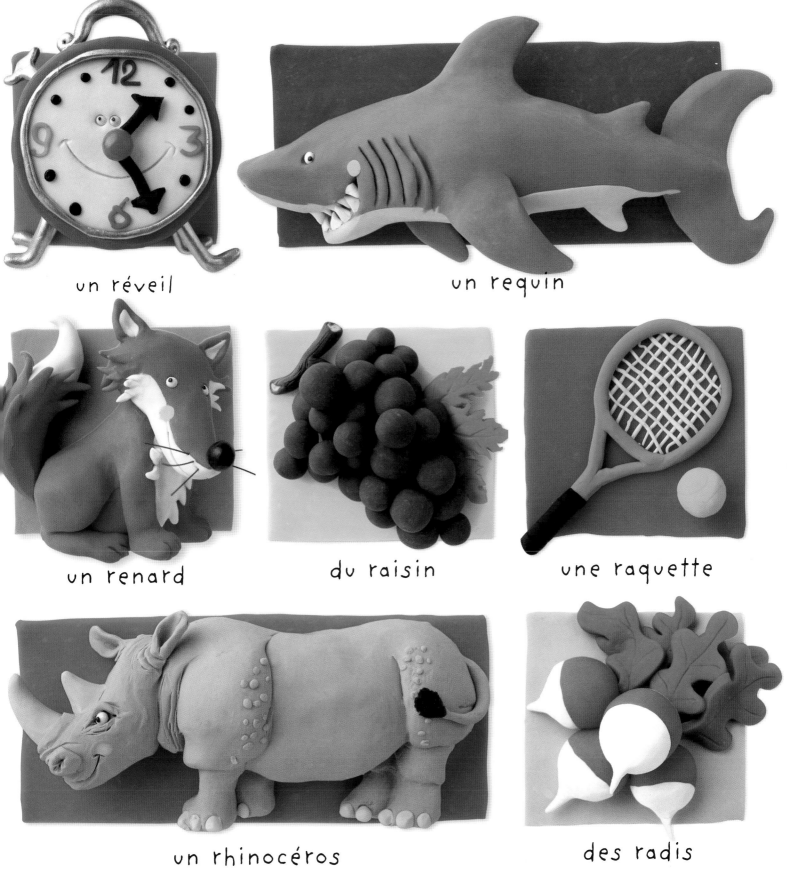

un réveil

un requin

un renard

du raisin

une raquette

un rhinocéros

des radis

Quel arbre décore-t-on à Noël ?
C'est la sorcière ou la sirène
qui vole sur un balai ?

un sanglier

un sapin

un singe

un sandwich

un seau

une souris

une sorcière

le Soleil

une sirène

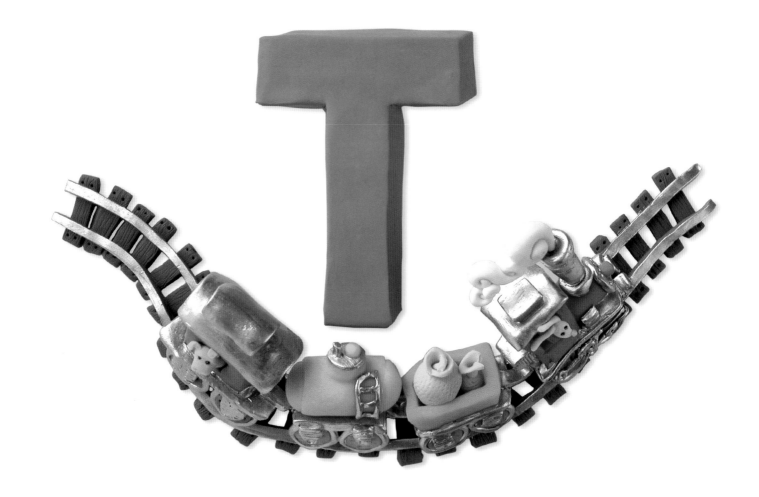

Quel animal a une carapace
sur le dos ? Trouve les
instruments de musique.

un tournesol

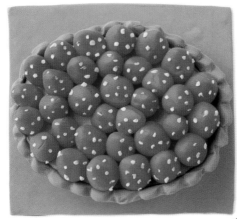

une tarte

un toucan

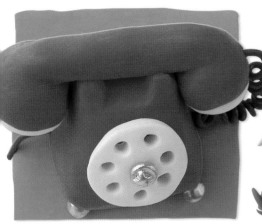

un téléphone

une taupe

une trompette

une tortue

un tambour

une tente

Cet animal suspendu au «U»
s'appelle un unau, plus connu
sous le nom de paresseux,
car il est très très lent.

une usine

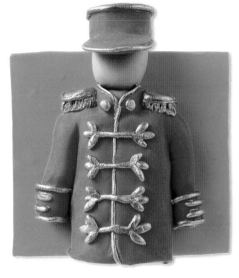

un uniforme

Uranus

l'univers

Quel animal donne du lait ?
Dans quoi met-on
des fleurs coupées ?

une voiture

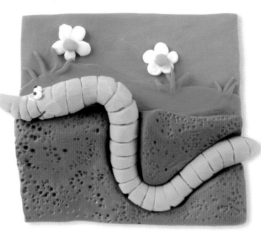

un ver de terre

un vase

un violon

des vagues

un vélo

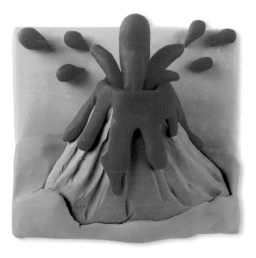

un volcan

un verre

une valise

Trouve l'animal à rayures.
Que fait-on avec
un xylophone ?

un yaourt

un zèbre

un wapiti

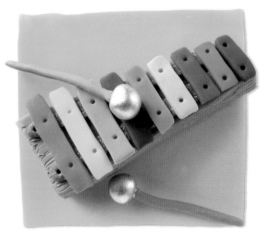

un xylophone

un Walkman cd

un yack

L'ALPHABET

Reconnais les 26 lettres dans leurs différentes formes d'écriture.

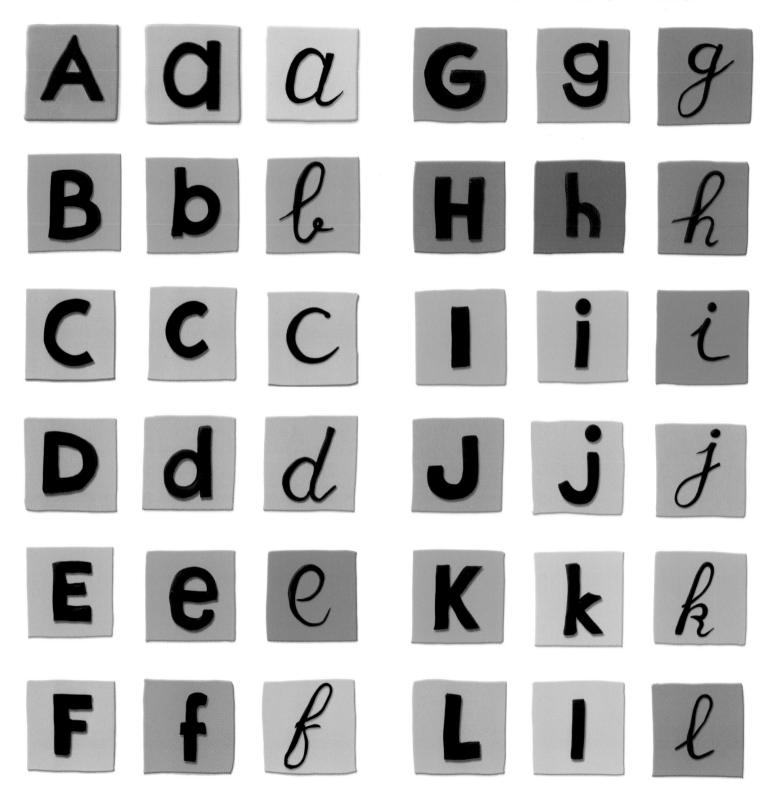

M	m	m		T	t	t
N	n	n		U	u	u
O	o	o		V	v	v
P	P	p		W	W	w
Q	q	q		X	X	x
R	r	r		Y	Y	y
S	S	s		Z	Z	z

Amélie   Balthus   Caroline   Dimitri

Irène   Jules   Jim   Kim   Léonard

Quentin   Rudy   Sylvain   Ted

Yasmine   Zoé

Le je

- Que regarde Amélie ?
- Qui joue du **x**ylophone ?
- Que fait rouler **V**incent ?

ouard
Fanny
Gabriel
Henri
Marie
Nelly
Oscar
Patricia
Ulysse
Vincent
Wendy
Xavier

e l'alphabet

- De quel instrument joue **T**eddy ?
- Qui s'abrite sous un **p**arapluie ?
- Qui porte un **u**niforme de pompier ?
- Qui sont **J**ules et **J**im ?
- Qui mange un **y**aourt ?
- Avec quoi joue **B**althus ?

ISBN 2.215.069.14.7
© Groupe FLEURUS, 2003.
Dépôt légal à la date de parution.
Conforme à la loi N° 49-956 du 16 juillet 1949
sur les publications destinées à la jeunesse.
Imprimé en Italie. (02/03)